KIDS 키즈 수학 전문가가 만든 연산 교재

원리셈

10 가르기와 모으기

1주차	10 가르기	9
2주차	10 모으기	25
3주차	도전! 계산왕	41
4주차	10에서 빼기	53
5주차	합이 10이 되는 더하기	69
6주차	도전! 계산왕	85

지은이의 말

수학은 원리로부터

수학은 구체물의 관계를 숫자와 기호의 약속으로 나타내는 추상적인 학문입니다. 이 점이 아이들이 수학을 어려워하는 가장 큰 이유입니다. 이러한 수학은 제대로 된 이해를 동반할 때 비로소 힘을 발휘할 수 있습니다. 수학은 어느 단계에서나 원리가 가장 중요합니다.

수학 교육의 변화

답을 내는 방법만 알아도 되는 수학 교육의 시대는 지나고 있습니다. 연산도 한 가지 방법만 반복 연습하기 보다 다양한 풀이 방법이 중요합니다. 교과서는 왜 그렇게 해야 하는지 가르쳐 주고 다양한 방법을 생각하도록 하지만, 학생들은 단순하게 반복되는 연습에 원리는 잊어버리고 기계적으로 답을 내다보니 응용된 내용의 이해가 부족합니다.

연산 학습은 꾸준히

유초등 학습 단계에 따라 4권~6권의 구성으로 매일 10분씩 꾸준히 공부할 수 있습니다. 원리와 다양한 방법의 학습은 그림과 함께 재미있게, 연습은 다양하게 진행하되 마무리는 집중하여 진행하도록 했습니다. 부담 없는 하루 학습량으로 꾸준히 공부하다 보면 어느새 연산 실력이 부쩍 늘어난 것을 알 수 있습니다.

개정판 원리셈은

동영상 강의 확대/초등 고학년 원리 학습 과정 강화 등으로 원리와 개념, 계산 방법을 더 쉽게 이해할 수 있도록 하고, 연습을 강화하여 학습의 완성도를 더했습니다.

학부모님들의 연산 학습에 대한 고민이 원리셈으로 해결되었으면 하는 바람입니다.

지은이 *천종현*

원리셈의 특징

☑ **원리셈의 학습 구성**

한 권의 책은 매일 10분 / 매주 5일 / 6주 학습

☑ **원리셈의 시나브로 강해지는 학습 알고리즘**

키즈 원리셈은

01 세분화된 원리 학습

02 다양한 유형의 연습

03 충분한 연습

04 성취도 확인

시작은 원리의 이해로부터, 마무리는 충분한 연습과 성취도 확인까지

☑ **체계적인 학습 구성**

쉽게 이해하고 스스로 공부!
실수가 많은 부분은 별도로 확인하고 연습!
주제에 따라 실전을 위한 확장적 사고가 필요한 내용까지!
원리로 시작되는 단계별 학습으로 곱셈구구마저 저절로 외워진다고 느끼도록!

원리셈 전체 단계

 키즈 원리셈

5·6세

1권	5까지의 수
2권	10까지의 수
3권	10까지의 수 세어 쓰기
4권	모아 세기
5권	빼어 세기
6권	크기 비교와 여러 가지 세기

6·7세

1권	10까지의 더하기 빼기 1
2권	10까지의 더하기 빼기 2
3권	10까지의 더하기 빼기 3
4권	20까지의 더하기 빼기 1
5권	20까지의 더하기 빼기 2
6권	20까지의 더하기 빼기 3

7·8세

1권	7까지의 모으기와 가르기
2권	9까지의 모으기와 가르기
3권	덧셈과 뺄셈
4권	10 가르기와 모으기
5권	10 만들어 더하기
6권	10 만들어 빼기

 초등 원리셈

1학년

1권	받아올림/ 내림 없는 두 자리 수 덧셈, 뺄셈
2권	덧셈구구
3권	뺄셈구구
4권	□ 구하기
5권	세 수의 덧셈과 뺄셈
6권	(두 자리 수)±(한 자리 수)

2학년

1권	두 자리 수 덧셈
2권	두 자리 수 뺄셈
3권	세 수의 덧셈과 뺄셈
4권	곱셈
5권	곱셈구구
6권	나눗셈

3학년

1권	세 자리 수의 덧셈과 뺄셈
2권	(두/세 자리 수)×(한 자리 수)
3권	(두/세 자리 수)×(두 자리 수)
4권	(두/세 자리 수)÷(한 자리 수)
5권	곱셈과 나눗셈의 관계
6권	분수

4학년

1권	큰 수의 곱셈
2권	큰 수의 나눗셈
3권	분모가 같은 분수의 덧셈과 뺄셈
4권	소수의 덧셈과 뺄셈

5학년

1권	혼합 계산
2권	약수와 배수
3권	분모가 다른 분수의 덧셈과 뺄셈
4권	분수와 소수의 곱셈

6학년

1권	분수의 나눗셈
2권	소수의 나눗셈
3권	비와 비율
4권	비례식과 비례배분

키즈 원리셈의 단계별 학습 목표

초등학교 입학 준비는 키즈 원리셈으로!!

키즈 원리셈 단계를 고를 때는 아이의 배경지식에 따라 아래의 학습 목표를 참고하세요.

◉ 5·6세 단계

수와 연산을 처음 접하는 아이들을 위한 단계
수를 익히고, 덧셈, 뺄셈을 이해
덧셈, 뺄셈 기호는 나오지 않지만, 덧셈, 뺄셈의 상황을 그림으로 제시
필기를 최소화 / 붙임 딱지 이용
매주 마지막 5일차에는 재미있게 사고력 키우기 "사고력 팡팡 "

◉ 6·7세 단계

10까지의 수를 알지만 덧셈, 뺄셈을 처음 하는 아이들을 위한 단계
1에서 20까지의 수를 익히면서 더하기 빼기 1, 2, 3
수를 똑바로 세면 덧셈, 거꾸로 세면 뺄셈이라는 것을 이해하고 연산에 이용
수 세기를 먼저 배운 후, 같은 개념을 덧셈, 뺄셈에 적용
10이 넘어가는 덧셈도 받아올림을 하는 것이 아니라 수의 순서로 이해

◉ 7·8세 단계

한 자리 덧셈, 뺄셈의 개념은 있지만 연습이 필요한 아이들을 위한 단계
초등 1학년 1학기 교과에 해당하는 내용
가르기와 모으기를 충분하게 연습하면서 속도와 정확성을 올릴 수 있는 단계
1권~4권은 가르기와 모으기를 연습한 후 덧셈, 뺄셈의 개념으로 확장하여 연습
5권은 받아올림, 6권은 받아내림의 원리를 아주 쉽게 풀어놓아서 받아올림과 받아내림을 처음 배우는 아이들에게 강추!!

7·8세 단계 구성과 특징

1~4권은 가르기 모으기를 기본으로 받아올림, 받아내림 없는 한 자리 덧셈, 뺄셈을 연습하고, 5, 6권에서 각각 받아올림, 받아내림이 있는 한 자리 덧셈, 뺄셈의 원리를 배웁니다. 초등 입학을 준비할 수 있는 교재로 교과서로는 초등 1학년 1학기 내용을 주로 담고 있습니다.

원리

구체물을 그림으로 보고, 동그라미를 그리는 등 원리를 직관적으로 이해하고 쉽게 공부할 수 있도록 하였습니다.

연습

학습 순서는 원리를 생각하며 연습할 수 있도록 배치하였고, 이해를 도울 수 있는 그림과 함께 연습한 후, 숫자와 기호로 된 문제도 꾸준히 반복할 수 있도록 하였습니다.

사고력 연산

수학은 규칙의 학문입니다. 사고력 연산의 시작은 새로운 규칙을 이해하고 적용하는 것으로부터 시작합니다. 연산의 개념을 기본으로 사고를 확장할 수 있도록 하였습니다.

도전! 계산왕

주제가 구분되는 두 개의 단원은 정확성과 빠른 계산을 위한 집중 연습으로 주제를 마무리 합니다.

성취도 평가

개념의 이해와 연산의 수행에 부족한 부분은 없는지 성취도 평가를 통해 확인합니다.

✔️ 책의 사이사이에 학생의 학습을 돕기 위한 저자의 내용을 잘 이용하세요.

📑 단원의 학습 내용과 방향

한 주차가 시작되는 쪽의 아래에 그 단원의 학습 내용과 어떤 방향으로 공부하는지를 설명해 놓았습니다.
학부모님이나 학생이 단원을 시작하기 전에 가볍게 읽어 보고 공부하도록 해 주세요.

📚 이해를 돕는 저자의 동영상 강의

공부를 시작하기 전에 표지의 QR코드를 확인하세요. 책의 학습 흐름과 목표, 그리고 그동안 원리셈을 먼저 공부한 아이들이 겪은 어려움에 대한 대처 방안 등을 설명해 줍니다.

학습 동영상

🔖 학습 Tip   간략한 도움글은 각 쪽의 아래에 있습니다.

✏️ 천종현수학연구소 네이버 카페와 홈페이지를 활용하세요.

카페와 홈페이지에는 추가 문제 자료가 있고, 연산 외에서 수학 학습에 어려움을 상담 받을 수 있습니다.

네이버에서 천종현수학연구소를 검색하세요.

10 가르기

1일	개수 세어서 10 가르기	10
2일	10 가르기	13
3일	10 가르기 연습	16
4일	사탕의 개수	19
5일	연산 퍼즐	22

10 가르기에 대하여 공부합니다. 사실상 10이 되는 두 수를 알아보는 과정이 며 4주차의 '10에서 빼기'를 학습하기 위한 예비 학습 단계라 할 수 있습니다.

💡 10개의 공을 여러 가지 방법으로 두 묶음으로 묶고 오른쪽에 묶은 개수를 써 보세요.

1	9

①

②

③

④

⑤

⑥

⑦

⑧

😀 10개의 공을 둘로 갈랐습니다. 빈 곳에 공의 개수만큼 ◯를 그려 넣고 개수를 써넣으세요.

①

②

③

④

⑤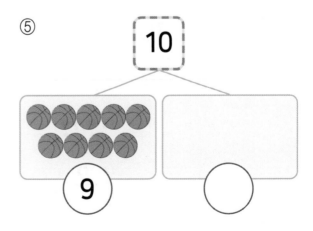

10개의 공을 둘로 갈랐습니다. 빈 곳에 공의 개수만큼 ◯를 그려 넣고 개수를 써넣으세요.

💡 □에 알맞은 수를 써넣으세요.

①

②

③

④

⑤

⑥

⑦

⑧

빈 곳에 알맞은 수를 써넣으세요.

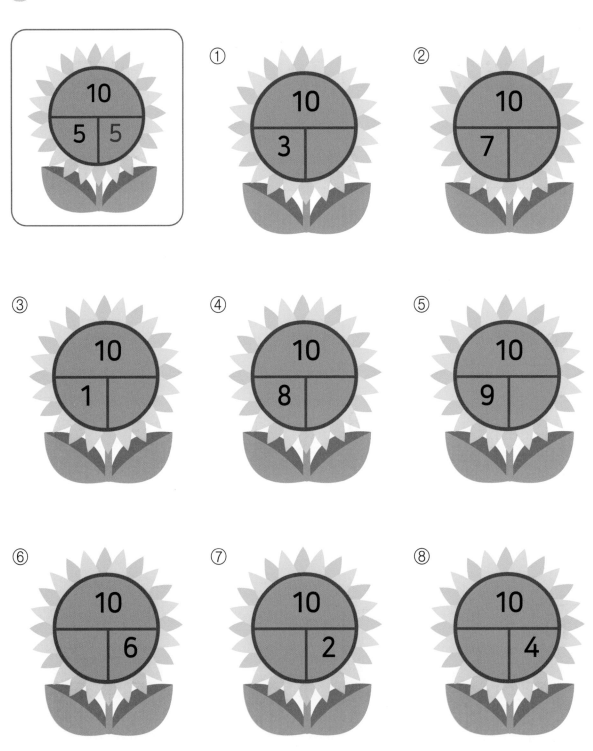

보기
10
5 5

① 10
3

② 10
7

③ 10
1

④ 10
8

⑤ 10
9

⑥ 10
6

⑦ 10
2

⑧ 10
4

여러 가지 방법으로 10을 두 수로 갈라 보세요.

①

②

③

④

⑤

⑥

⑦

⑧

10 가르기 연습

10을 두 수로 갈라 보세요.

①

②

③

④

⑤

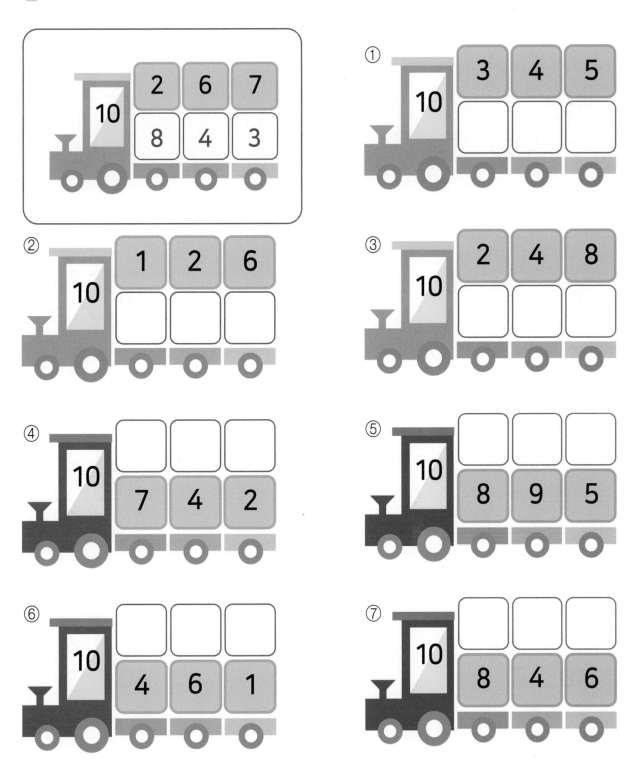

🐋 10을 두 수로 갈라 보세요.

	2	6	7
10	8	4	3

① 10
	3	4	5

② 10
1	2	6

③ 10
2	4	8

④ 10
7	4	2

⑤ 10
8	9	5

⑥ 10
4	6	1

⑦ 10
8	4	6

10을 두 수로 갈라 보세요.

① 10 — ( ) / 4

② 10 — 3 / ( )

③ 10 — 1 / ( )

④ 10 — ( ) / 5

⑤ 10 — ( ) / 8

⑥ 10 — 7 / ( )

⑦ 10 — 6 / ( )

⑧ 10 — 9 / ( )

⑨ 10 — ( ) / 2

⑩ 10 — 5 / ( )

⑪ 10 — 1 / ( )

⑫ 10 — 4 / ( )

사탕의 개수

사탕 10개를 주었더니 먹고 아래와 같이 남았습니다. 먹은 사탕의 개수를 써넣으세요.

①

②

③

④

⑤

⑥

⑦

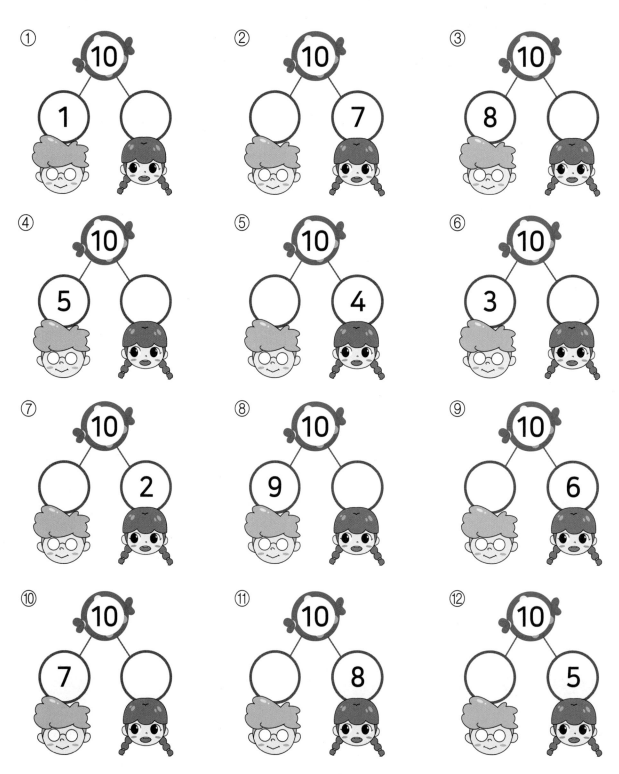

○에 알맞은 수를 써넣으세요.

① 10 / 1 / ○

② 10 / ○ / 7

③ 10 / 8 / ○

④ 10 / 5 / ○

⑤ 10 / ○ / 4

⑥ 10 / 3 / ○

⑦ 10 / ○ / 2

⑧ 10 / 9 / ○

⑨ 10 / ○ / 6

⑩ 10 / 7 / ○

⑪ 10 / ○ / 8

⑫ 10 / ○ / 5

토끼 2마리에게 당근 10개씩을 주었습니다. 토끼 2마리가 먹은 당근의 개수는 모두 몇 개인지 써넣으세요.

연산 퍼즐

❓ 10을 가른 두 수를 색칠하면 자물쇠가 열립니다. 자물쇠가 열리게 되는 두 수에 색칠해 보세요.

5	9
2	8
3	6

5	9
2	6
4	3

6	7
8	1
5	3

5	3
2	5
6	9

9	4
5	1
8	7

🔔 10을 가른 두 수를 색칠하면 자물쇠가 열립니다. 자물쇠가 열리게 되는 두 수에 색칠해 보세요.

7	5
1	8
2	6

9	2
5	4
7	3

1	8
6	4
5	3

5	7
6	8
1	9

5	1
5	8
6	3

6	7
8	3
9	5

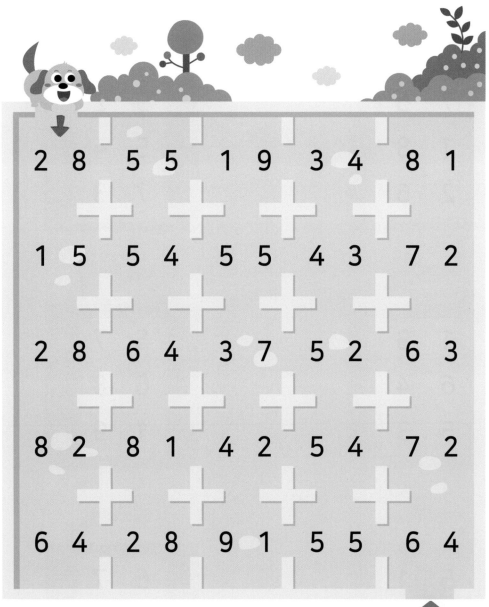

2	8	5	5	1	9	3	4	8	1
	+		+		+		+		
1	5	5	4	5	5	4	3	7	2
	+		+		+		+		
2	8	6	4	3	7	5	2	6	3
	+		+		+		+		
8	2	8	1	4	2	5	4	7	2
	+		+		+		+		
6	4	2	8	9	1	5	5	6	4

10 모으기

1일 개수 세어서 10 모으기   26

2일 10 모으기   29

3일 세 수 모으기   32

4일 가르고 모으기   35

5일 연산 퍼즐   38

10 모으기에 대하여 공부합니다. 모으기 형태로 문제가 제시되지만 10 가르기와 마찬가지로 10이 되는 두 수를 익히고, 5주차에서 공부할 '합이 10이 되는 더하기'의 예비학습이기도 합니다

빈 곳에 알맞은 수를 써넣으세요.

①

②

③

④

⑤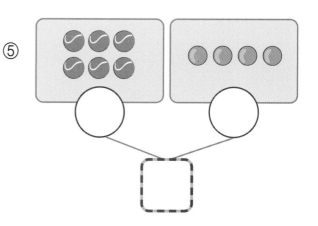

빈 곳에 개수만큼 ◯를 그리고 알맞은 수를 써넣으세요.

①

②

③

④

⑤

□에 알맞은 수를 써넣으세요.

①

②

③

④

⑤

⑥

⑦

⑧

①

②

③

④

⑤

⑥

⑦

⑧

○에 알맞은 수를 써넣으세요.

①

②

③

④

⑤

⑥

⑦

⑧

⑨

⑩

⑪

⑫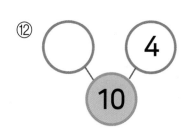

두 수를 모아 10이 되도록 빈 곳에 알맞은 수를 써넣으세요.

세 수 모으기

세 수를 모아 10을 만들었습니다. □에 알맞은 수를 써넣으세요.

①

②

③

④

⑤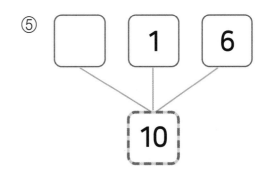

세 수를 모아 10을 만들었습니다. ☐에 알맞은 수를 써넣으세요.

①

②

③

④

⑤

⑥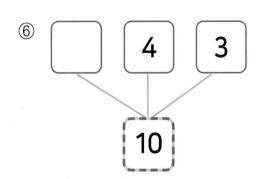

모아서 10이 되는 나머지 수를 찾아 선으로 이으세요.

가르고 모으기

수를 두 번 모았습니다. □ 에 알맞은 수를 써넣으세요.

①

②

③

④

⑤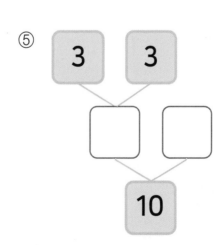

수를 두 번 모았습니다. □ 에 알맞은 수를 써넣으세요.

①

②

③

④

⑤

⑥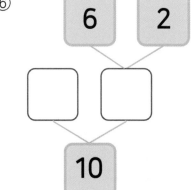

수를 모으고 갈랐습니다. □에 알맞은 수를 써넣으세요.

①

②

③

④

⑤

⑥

⑦

⑧

연산 퍼즐

💡 두 수를 모은 수에 해당하는 글자를 아래에서 찾아 모두 써 보세요.

| 1 | 1 | 가 | ① | 6 | 3 | _____ |

| ② | 3 | 5 | _____ | ③ | 3 | 1 | _____ |

| ④ | 5 | 2 | _____ | ⑤ | 7 | 1 | _____ |

| ⑥ | 2 | 1 | _____ | ⑦ | 6 | 4 | _____ |

| ⑧ | 3 | 3 | _____ | ⑨ | 3 | 2 | _____ |

2	3	4	5	6	7	8	9	10
가	완	모	복	정	으	기	르	전

모은 수를 따라 성혁이가 친구네 집에 가는 길을 그려 보세요.

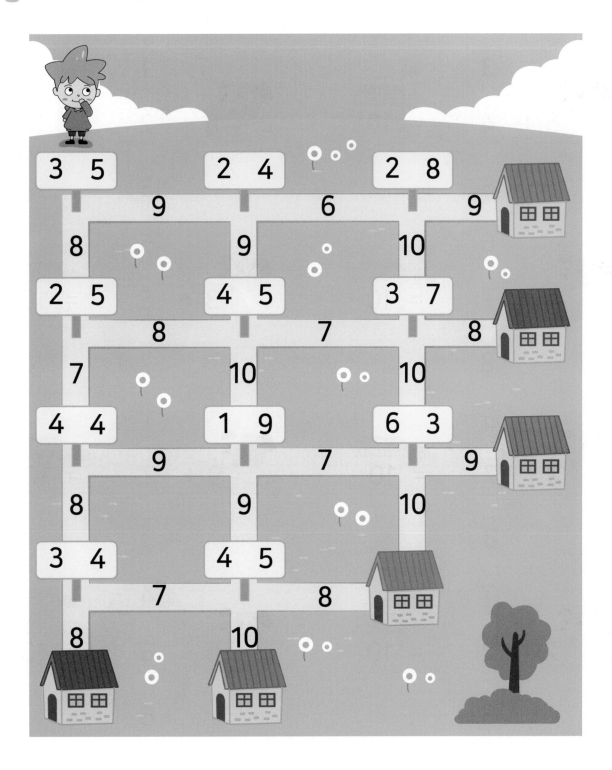

모아서 10이 되는 수를 따라 길을 그려 보세요.

$5 +$
3
4
5
$= 10$

$8 +$
1
2
3
$= 10$

$4 +$
6
7
8
$= 10$

$3 +$
5
6
7
$= 10$

$2 +$
6
7
8
$= 10$

$9 +$
1
2
3
$= 10$

$7 +$
7
2
3
$= 10$

$6 +$
4
5
6
$= 10$

도전! 계산왕

1일	10 가르기와 모으기	42
2일	10 가르기와 모으기	44
3일	10 가르기와 모으기	46
4일	10 가르기와 모으기	48
5일	10 가르기와 모으기	50

10 가르기와 모으기

🐚 10개의 공을 둘로 갈랐습니다. 빈 곳에 공의 개수만큼 ◯를 그려 넣고 개수를 써넣으세요.

①

②

③

④

⑤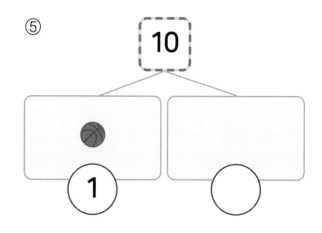

10 가르기와 모으기

💡 10을 두 수로 가르거나 두 수를 10으로 모으세요.

①

②

③

④

⑤

⑥

⑦

⑧

⑨

⑩

⑪

⑫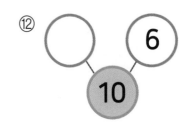

10 가르기와 모으기

🎤 □에 알맞은 수를 써넣으세요.

①

②

③

④

⑤

⑥

⑦

⑧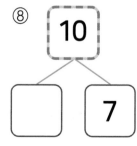

10 가르기와 모으기

💡 10을 두 수로 가르거나 두 수를 10으로 모으세요.

①

②

③

④

⑤

⑥

⑦

⑧

⑨

⑩

⑪

⑫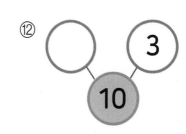

10 가르기와 모으기

💡 빈 곳에 개수만큼 ◯를 그리고 알맞은 수를 써넣으세요.

①

②

③

④

⑤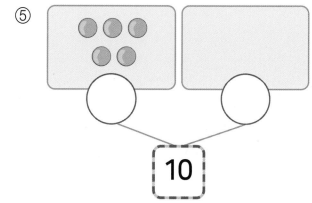

10 가르기와 모으기

공부한 날	월 일
점 수	/ 12

10을 두 수로 가르거나 두 수를 10으로 모으세요.

①

②

③

④

⑤

⑥

⑦

⑧

⑨

⑩

⑪

⑫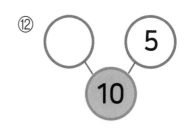

10 가르기와 모으기

🎵 □에 알맞은 수를 써넣으세요.

①

②

③

④

⑤

⑥

⑦

⑧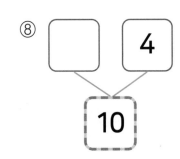

10 가르기와 모으기

10을 두 수로 가르거나 두 수를 10으로 모으세요.

①

②

③

④

⑤

⑥

⑦

⑧

⑨

⑩

⑪

⑫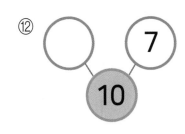

10 가르기와 모으기

공부한 날 | 월 일
점 수 | / 8

수를 모으고 갈랐습니다. ☐ 에 알맞은 수를 써넣으세요.

①

②

③

④

⑤

⑥

⑦

⑧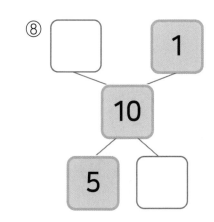

10 가르기와 모으기

공부한 날	월 일
점 수	/ 12

💡 10을 두 수로 가르거나 두 수를 10으로 모으세요.

①

②

③

④

⑤

⑥

⑦

⑧

⑨

⑩

⑪

⑫

10에서 빼기

1일	10에서 빼기	54
2일	뺄셈식의 계산	57
3일	수직선과 수 막대	59
4일	연산 퍼즐	62
5일	문장제	65

10에서의 뺄셈을 공부합니다.

10에서 빼기

월   일

❓ □에 알맞은 수를 써넣으세요.

10 − 4 = 6

①

10 − 2 =

②

10 − 0 =

③

10 − 7 =

④

10 − 1 =

⑤

10 − 3 =

⑥

10 − 10 =

⑦

10 − 5 =

선을 잇고 ☐ 안에 알맞은 수를 써넣으세요.

①
$$10 - 6 = \boxed{}$$

②
$$10 - 2 = \boxed{}$$

③
$$10 - 10 = \boxed{}$$

④
$$10 - 7 = \boxed{}$$

그림을 보고 ☐에 알맞은 수를 써넣으세요.

10 − 0 = 10

① 10 − 1 = ☐

② 10 − 2 = ☐

③ 10 − 3 = ☐

④ 10 − 4 = ☐

⑤ 10 − 5 = ☐

⑥ 10 − 6 = ☐

⑦ 10 − 7 = ☐

⑧ 10 − 8 = ☐

⑨ 10 − 9 = ☐

⑩ 10 − 10 = ☐

뺄셈식의 계산

규칙에 맞게 빈 곳에 알맞은 수를 써넣으세요.

①

②

③

④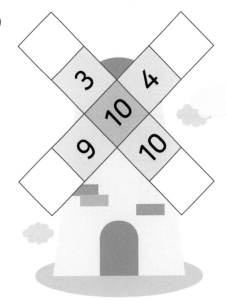

□에 알맞은 수를 써넣으세요.

$$10 - 2 = 8$$
$$|$$
$$3$$
$$=$$
$$7$$

①
$$10 - 1 = \boxed{}$$
$$|$$
$$7$$
$$=$$
$$\boxed{}$$

②
$$10 - 3 = \boxed{}$$
$$|$$
$$4$$
$$=$$
$$\boxed{}$$

③
$$10 - 5 = \boxed{}$$
$$|$$
$$10$$
$$=$$
$$\boxed{}$$

④
$$10 - 8 = \boxed{}$$
$$|$$
$$9$$
$$=$$
$$\boxed{}$$

⑤
$$10 - 2 = \boxed{}$$
$$|$$
$$0$$
$$=$$
$$\boxed{}$$

수직선과 수 막대

□에 알맞은 수를 써넣으세요.

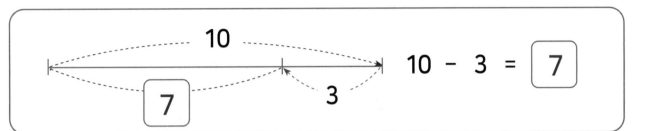

$$10 - 3 = \boxed{7}$$

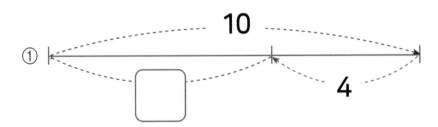

① $10 - 4 = \boxed{}$

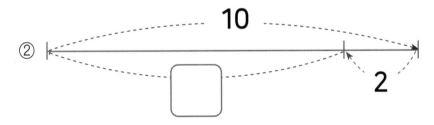

② $10 - 2 = \boxed{}$

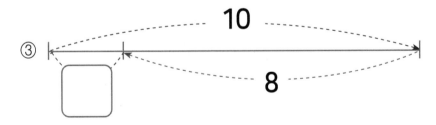

③ $10 - 8 = \boxed{}$

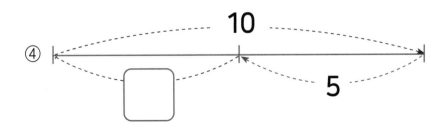

④ $10 - 5 = \boxed{}$

🖐 □에 알맞은 수를 써넣으세요.

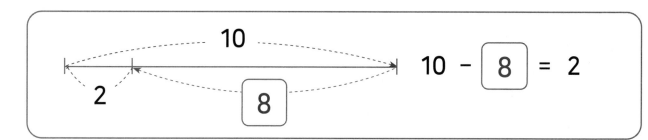

10 − 8 = 2

① 10 − □ = 6

② 10 − □ = 4

③ 10 − □ = 9

④ 10 − □ = 3

□에 알맞은 수를 써넣으세요.

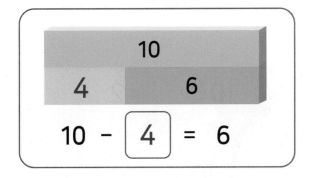

$10 - \boxed{4} = 6$

①

$10 - \boxed{} = 3$

②

$10 - \boxed{} = 8$

③

$10 - \boxed{} = 1$

④

$10 - \boxed{} = 4$

⑤

$10 - \boxed{} = 5$

⑥

$10 - \boxed{} = 7$

⑦

$10 - \boxed{} = 2$

□ 안의 수가 같은 것끼리 선으로 이으세요.

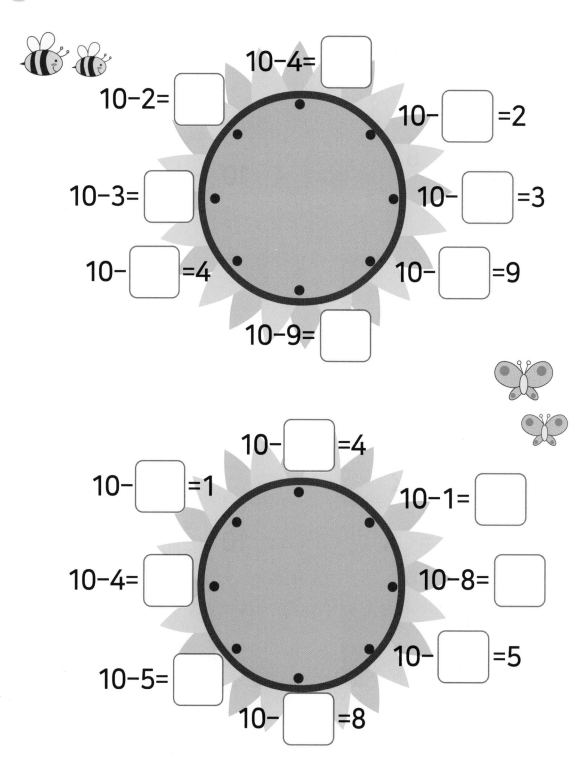

10-4=☐

10-2=☐

10-☐=2

10-3=☐

10-☐=3

10-☐=4

10-☐=9

10-9=☐

10-☐=4

10-☐=1

10-1=☐

10-4=☐

10-8=☐

10-☐=5

10-5=☐

10-☐=8

□ 안의 수가 같은 것끼리 선으로 이으세요.

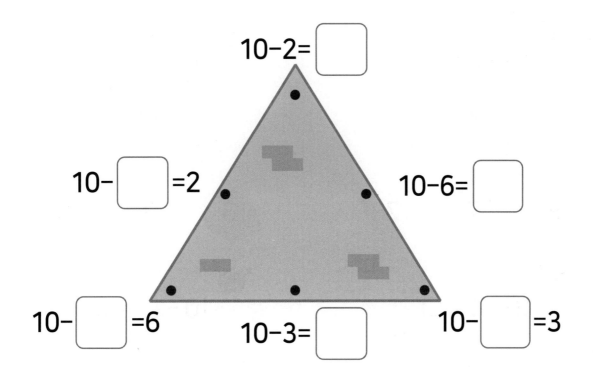

10-2=☐

10-☐=2

10-6=☐

10-☐=6

10-3=☐

10-☐=3

10-☐=1

10-☐=6

10-5=☐

10-☐=5

10-1=☐

10-8=☐

10-6=☐

10-☐=8

□에 알맞은 수를 찾아 길을 그려 보세요.

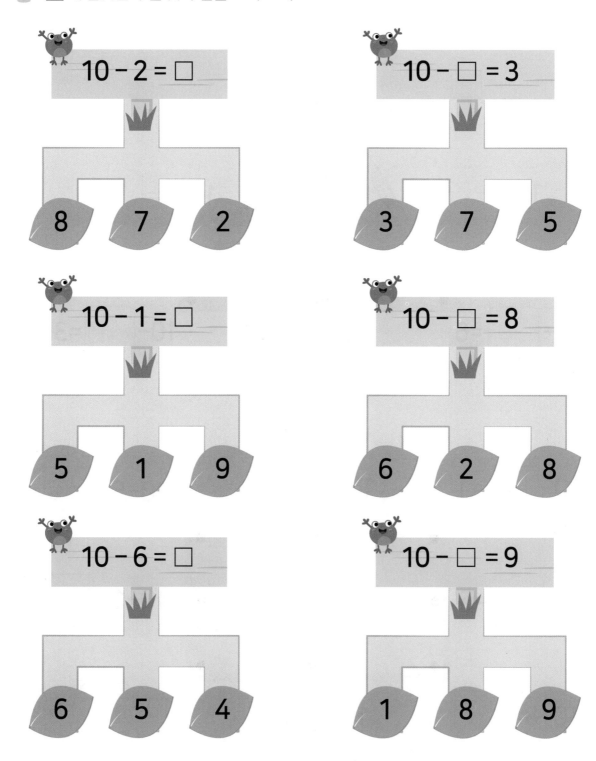

10 - 2 = □

8 7 2

10 - □ = 3

3 7 5

10 - 1 = □

5 1 9

10 - □ = 8

6 2 8

10 - 6 = □

6 5 4

10 - □ = 9

1 8 9

🔍 글과 그림을 보고 물음에 알맞은 식을 세우고 답을 구하세요.

문구점에서 빨간색 색연필과 파란색 색연필을 섞어서 10자루를 사려고 합니다.

★ 빨간색 색연필을 6자루 산다면 파란색 색연필은 몇 자루를 사야 할까요?

식 : __10 - 6 = 4_____   답 : __4__ 자루

① 파란색 색연필을 2자루 산다면 빨간색 색연필은 몇 자루 사야 할까요?

식 : _____   답 : _____ 자루

💡 문제를 읽고 알맞은 식과 답을 써 보세요.

① 어머니께서 사과 10개를 사오셨는데 7개를 가족과 함께 먹었습니다. 남아 있는 사과는 몇 개일까요?

식 : _____   답 : _____ 개

② 동물원에 원숭이 10마리가 있는데 그 중 3마리가 바나나를 먹고 있습니다. 바나나를 먹지 않고 있는 원숭이는 몇 마리일까요?

식 : _____   답 : _____ 마리

🐟 문제를 읽고 알맞은 식과 답을 써 보세요.

① 우유 한 팩을 뜯어 잔에 따르면 모두 10잔이 나옵니다. 아침에 우유 한 팩을 뜯어 2잔을 마셨다면 남은 우유팩은 앞으로 몇 잔을 더 먹을 수 있을까요?

식 : _____ 답 : _____ 잔

② 제비 10마리가 나뭇가지에 앉아 있다가 8마리가 갑자기 날아가 버렸습니다. 나뭇가지에 남은 제비는 몇 마리일까요?

식 : _____ 답 : _____ 마리

③ 민정이네 반 학생 10명이 극장에 영화를 보러 갔는데 그 중 남학생이 4명이라면 극장에 간 여학생은 몇 명일까요?

식 : _____ 답 : _____ 명

문제를 읽고 알맞은 식과 답을 써 보세요.

① 철민이는 사탕 10개를 가지고 있다가 동생에게 9개의 사탕을 주었습니다. 철민이에게 남아 있는 사탕은 몇 개일까요?

식 : _____   답 : _____ 개

② 아버지께서 김치만두와 고기만두를 섞어 10개를 사오셨는데 그 중 5개가 김치만두입니다. 고기만두는 몇 개일까요?

식 : _____   답 : _____ 개

③ 버스에 10명이 타고 있다가 정류장에서 1명의 학생이 내렸습니다. 버스에 남아 있는 사람은 몇 명일까요?

식 : _____   답 : _____ 명

합이 10이 되는 더하기

1일	합이 10이 되는 더하기	70
2일	덧셈식의 계산	73
3일	연산 퍼즐	75
4일	규칙 찾기	78
5일	10 만들기	81

합이 10이 되는 덧셈을 공부합니다.

□에 알맞은 수를 써넣으세요.

6 + 4 = 10

① □ + □ = 10

② □ + □ = 10

③ □ + □ = 10

④ □ + □ = 10

⑤ □ + □ = 10

과일이 모두 10개가 되도록 빈 접시에 ◯표를 그리고 ☐에 알맞은 수를 써넣으세요.

  $7 + \boxed{3} = 10$

① $2 + \boxed{} = 10$

② $1 + \boxed{} = 10$

③ $\boxed{} + 4 = 10$

④ $\boxed{} + 5 = 10$

⑤ $\boxed{} + 3 = 10$

🎵 □에 알맞은 수를 써넣으세요.

①

$$2 \ + \ \boxed{} \ = \ 10$$

②

$$1 \ + \ \boxed{} \ = \ 10$$

③

$$8 \ + \ \boxed{} \ = \ 10$$

④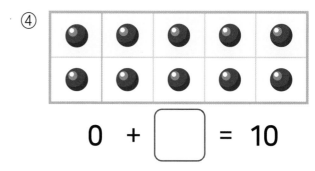

$$0 \ + \ \boxed{} \ = \ 10$$

⑤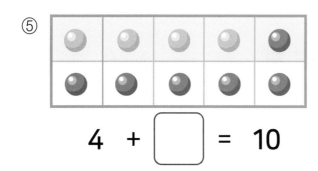

$$4 \ + \ \boxed{} \ = \ 10$$

⑥

$$5 \ + \ \boxed{} \ = \ 10$$

⑦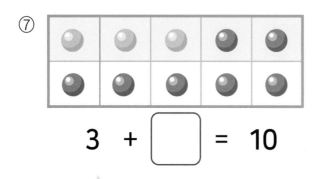

$$3 \ + \ \boxed{} \ = \ 10$$

⑧

$$10 \ + \ \boxed{} \ = \ 10$$

덧셈식의 계산

규칙에 맞게 빈 곳에 알맞은 수를 써넣으세요.

①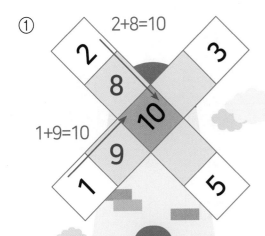

2+8=10

2

8

10

3

1+9=10

1

9

5

②

6

10

10

3

8

③

4   7

5   10   2

④

6   3

1   10   8

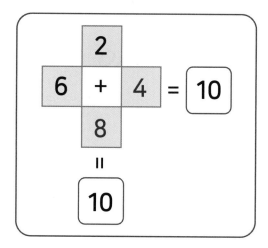 ☜ □에 알맞은 수를 써넣으세요.

$$\begin{array}{c} 2 \\ 6 \; + \; 4 \\ 8 \end{array} = \boxed{10}$$
$$=$$
$$\boxed{10}$$

①
$$\begin{array}{c} 0 \\ 7 \; + \\ \end{array} = \boxed{10}$$
$$=$$
$$\boxed{10}$$

②
$$\begin{array}{c} 3 \\ 8 \; + \\ \end{array} = \boxed{10}$$
$$=$$
$$\boxed{10}$$

③
$$\begin{array}{c} 4 \\ 1 \; + \\ \end{array} = \boxed{10}$$
$$=$$
$$\boxed{10}$$

④
$$\begin{array}{c} \\ + \; 5 \\ 9 \end{array} = \boxed{10}$$
$$=$$
$$\boxed{10}$$

⑤
$$\begin{array}{c} \\ + \; 6 \\ 10 \end{array} = \boxed{10}$$
$$=$$
$$\boxed{10}$$

□에 들어가야 하는 수에 ○표 하세요.

2 + 8 = 10

| 3 | 6 | ⑧ | 9 |

6 + □ = 10

| 1 | 2 | 6 | 4 |

4 + □ = 10

| 2 | 6 | 7 | 8 |

9 + □ = 10

| 1 | 5 | 7 | 9 |

3 + □ = 10

| 2 | 3 | 6 | 7 |

5 + □ = 10

| 0 | 4 | 5 | 8 |

1 + □ = 10

| 2 | 4 | 6 | 9 |

10 + □ = 10

| 0 | 3 | 5 | 9 |

계산 결과에 맞게 길을 그려 보세요.

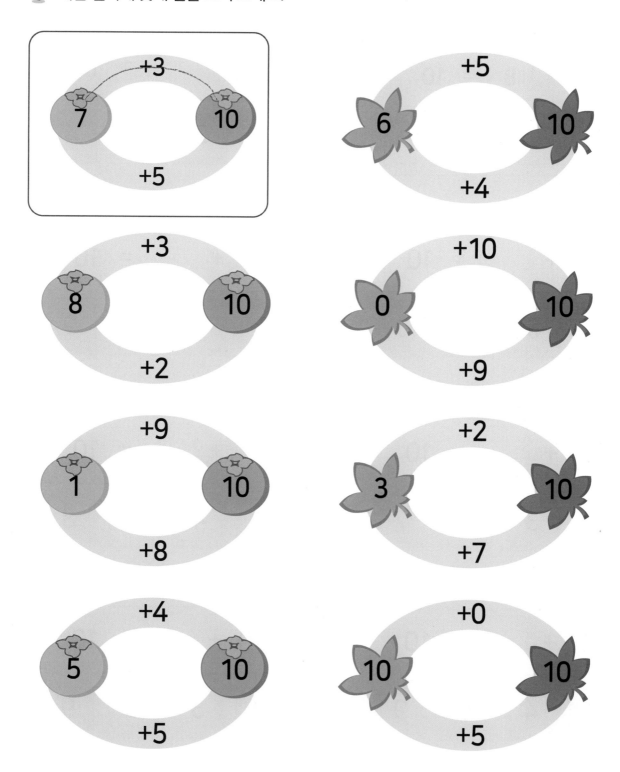

같은 위치의 수를 더해서 10이 되도록 빈 곳에 알맞은 수를 써넣으세요.

4+6=10

1		4
	5	
7		3

+

	8	6
2		9
	4	

	6	
		8
7		3

+

1		5
3	8	
	4	

6		
8		4
1	2	

+

	3	9
	4	
		5

💡 규칙을 찾아 빈 곳에 알맞은 수를 써넣으세요.

4 10 6

① 3 10

② 8 10

③ 5 10

④ 2 10

⑤ 9 10

규칙을 찾아 빈 곳에 알맞은 수를 써넣으세요.

① 10 3

② 10 1

③ 10 6

④ 10 4

⑤ 10 7

⑥ 10 2

규칙을 찾아 빈 곳에 알맞은 수를 써넣으세요.

공부한 날~!

월   일

🐧 빈칸과 색이 같은 수 카드에서 알맞은 수를 골라 빈칸에 써넣으세요.

┌─────────────────────────┐
│ [4] [2] [6] [8]   │
│   │
│ [4] + [6] = 10   │
│   │
│ [2] + [8] = 10   │
└─────────────────────────┘

① [3] [5] [7] [5]

　 □ + □ = 10

　 □ + □ = 10

② [1] [2] [8] [9]

　 □ + □ = 10

　 □ + □ = 10

③ [6] [7] [4] [3]

　 □ + □ = 10

　 □ + □ = 10

④ [5] [1] [5] [9]

　 □ + □ = 10

　 □ + □ = 10

⑤ [8] [7] [3] [2]

　 □ + □ = 10

　 □ + □ = 10

빈칸과 색이 같은 수 카드에서 알맞은 수를 골라 빈칸에 써넣으세요.

① 　8　　1　　9　　2

☐ + ☐ = 10

☐ + ☐ = 10

② 　6　　5　　4　　5

☐ + = 10

☐ + = 10

③ 　1　　7　　9　　3

☐ + ☐ = 10

☐ + ☐ = 10

④ 　6　　8　　2　　4

☐ + ☐ = 10

☐ + ☐ = 10

⑤ 　3　　8　　2　　7

☐ + ☐ = 10

☐ + ☐ = 10

⑥ 　8　　5　　5　　2

☐ + = 10

☐ + = 10

합이 10이 되는 두 수를 따라가면서 선을 이어 보세요.

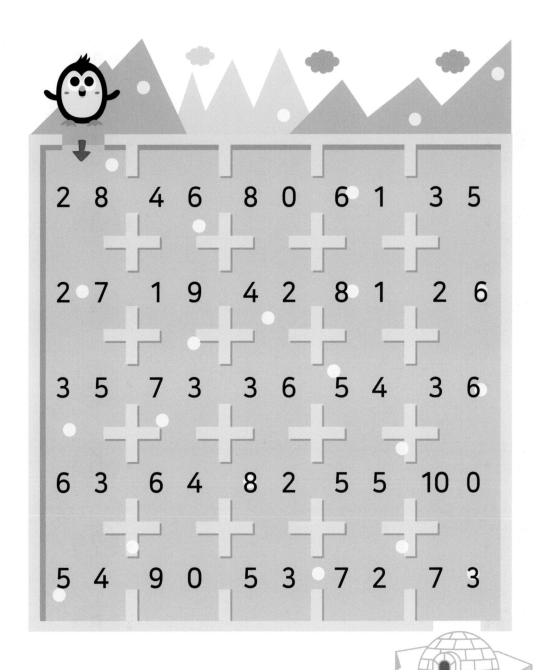

2	8	4	6	8	0	6	1	3	5
2	7	1	9	4	2	8	1	2	6
3	5	7	3	3	6	5	4	3	6
6	3	6	4	8	2	5	5	10	0
5	4	9	0	5	3	7	2	7	3

합이 10이 되는 양쪽의 두 수를 선으로 이으세요.

1 •

2 •

3 •

4 •

5 •

6 •

7 •

8 •

9 •

• 1

• 2

• 3

• 4

• 5

• 6

• 7

• 8

• 9

도전! 계산왕

1일	10에서 빼기, 10 만들기	86
2일	10에서 빼기, 10 만들기	88
3일	10에서 빼기, 10 만들기	90
4일	10에서 빼기, 10 만들기	92
5일	10에서 빼기, 10 만들기	94

10에서 빼기, 10 만들기

❓ □에 알맞은 수를 써넣으세요.

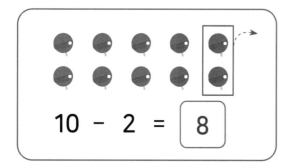

$$10 - 2 = \boxed{8}$$

①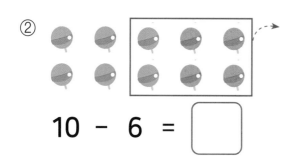

$$10 - 4 = \boxed{}$$

②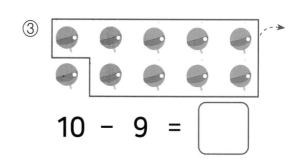

$$10 - 6 = \boxed{}$$

③

$$10 - 9 = \boxed{}$$

④

$$10 - 5 = \boxed{}$$

⑤

$$10 - 10 = \boxed{}$$

⑥

$$10 - 3 = \boxed{}$$

⑦

$$10 - 0 = \boxed{}$$

10에서 빼기, 10 만들기

□에 알맞은 수를 써넣으세요.

① $10 - \boxed{} = 6$

② $10 - \boxed{} = 2$

③ $10 - \boxed{} = 4$

④ $10 - \boxed{} = 7$

⑤ $10 - \boxed{} = 5$

⑥ $10 - \boxed{} = 1$

⑦ $5 + \boxed{} = 10$

⑧ $3 + \boxed{} = 10$

⑨ $4 + \boxed{} = 10$

⑩ $8 + \boxed{} = 10$

⑪ $0 + \boxed{} = 10$

⑫ $10 + \boxed{} = 10$

10에서 빼기, 10 만들기

□에 알맞은 수를 써넣으세요.

$$10 - 3 = 7$$
$$-$$
$$5$$
$$=$$
$$5$$

① $$10 - 2 = \square$$
$$-$$
$$1$$
$$=$$
$$\square$$

② $$10 - 6 = \square$$
$$-$$
$$7$$
$$=$$
$$\square$$

③ $$10 - 9 = \square$$
$$-$$
$$8$$
$$=$$
$$\square$$

④ $$10 - 5 = \square$$
$$-$$
$$4$$
$$=$$
$$\square$$

⑤ $$10 - 10 = \square$$
$$-$$
$$0$$
$$=$$
$$\square$$

💡 □에 알맞은 수를 써넣으세요.

① $10 - \boxed{} = 3$

② $10 - \boxed{} = 9$

③ $10 - \boxed{} = 6$

④ $10 - \boxed{} = 5$

⑤ $10 - \boxed{} = 4$

⑥ $10 - \boxed{} = 0$

⑦ $7 + \boxed{} = 10$

⑧ $2 + \boxed{} = 10$

⑨ $0 + \boxed{} = 10$

⑩ $3 + \boxed{} = 10$

⑪ $10 + \boxed{} = 10$

⑫ $5 + \boxed{} = 10$

10에서 빼기, 10 만들기

과일이 모두 10개가 되도록 빈 접시에 ◯표를 그리고 ☐에 알맞은 수를 써넣으세요.

$6 + \boxed{4} = 10$

①

$3 + \boxed{} = 10$

②

$2 + \boxed{} = 10$

③

$\boxed{} + 1 = 10$

④

$\boxed{} + 7 = 10$

⑤

$\boxed{} + 5 = 10$

10에서 빼기, 10 만들기

☞ □에 알맞은 수를 써넣으세요.

① $10 - \boxed{} = 10$

② $10 - \boxed{} = 4$

③ $10 - \boxed{} = 5$

④ $10 - \boxed{} = 2$

⑤ $10 - \boxed{} = 8$

⑥ $10 - \boxed{} = 3$

⑦ $5 + \boxed{} = 10$

⑧ $9 + \boxed{} = 10$

⑨ $4 + \boxed{} = 10$

⑩ $7 + \boxed{} = 10$

⑪ $2 + \boxed{} = 10$

⑫ $6 + \boxed{} = 10$

10에서 빼기, 10 만들기

🎵 □에 알맞은 수를 써넣으세요.

①

$$3 + \boxed{} = 10$$

②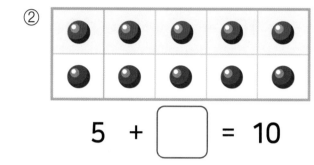

$$5 + \boxed{} = 10$$

③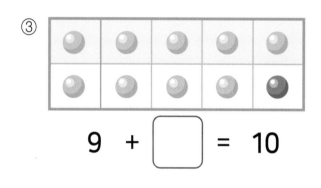

$$9 + \boxed{} = 10$$

④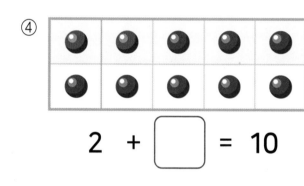

$$2 + \boxed{} = 10$$

⑤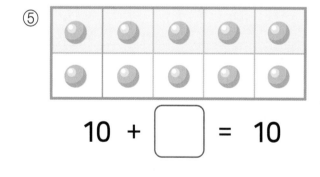

$$10 + \boxed{} = 10$$

⑥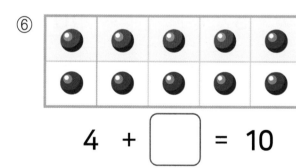

$$4 + \boxed{} = 10$$

⑦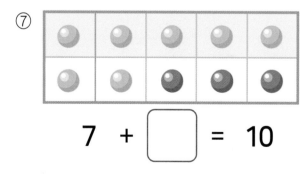

$$7 + \boxed{} = 10$$

⑧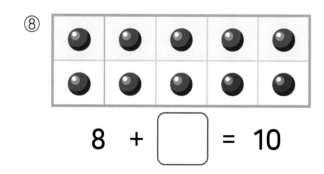

$$8 + \boxed{} = 10$$

4일 ❷

10에서 빼기, 10 만들기

□에 알맞은 수를 써넣으세요.

① $10 - \boxed{} = 2$

② $10 - \boxed{} = 5$

③ $10 - \boxed{} = 9$

④ $10 - \boxed{} = 3$

⑤ $10 - \boxed{} = 6$

⑥ $10 - \boxed{} = 7$

⑦ $1 + \boxed{} = 10$

⑧ $4 + \boxed{} = 10$

⑨ $0 + \boxed{} = 10$

⑩ $5 + \boxed{} = 10$

⑪ $10 + \boxed{} = 10$

⑫ $8 + \boxed{} = 10$

10에서 빼기, 10 만들기

□에 알맞은 수를 써넣으세요.

```
        7
  5  +  5  = 10
        3
        =
       10
```

①
```
        3
  1  +  □  = 10
        □
        =
       10
```

②
```
        2
  6  +  □  = 10
        □
        =
       10
```

③
```
        0
  5  +  □  = 10
        □
        =
       10
```

④
```
        □
  □  +  7  = 10
        4
        =
       10
```

⑤
```
        □
  □  +  8  = 10
       10
        =
       10
```

10에서 빼기, 10 만들기

□에 알맞은 수를 써넣으세요.

① 10 − □ = 0

② 10 − □ = 7

③ 10 − □ = 2

④ 10 − □ = 4

⑤ 10 − □ = 5

⑥ 10 − □ = 1

⑦ 8 + □ = 10

⑧ 3 + □ = 10

⑨ 10 + □ = 10

⑩ 9 + □ = 10

⑪ 6 + □ = 10

⑫ 0 + □ = 10

총괄 테스트

09 □에 알맞은 수를 써넣으세요.

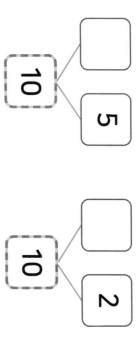

10 □에 알맞은 수를 써넣으세요.

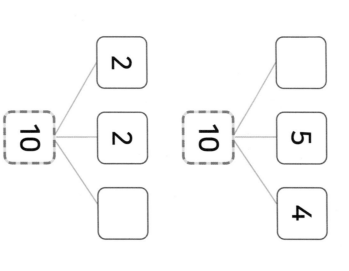

11 수를 두 번 모았습니다. □에 알맞은 수를 써넣으세요.

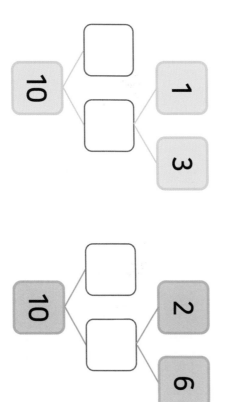

12 □에 알맞은 수를 써넣으세요.

$$10 - 6 =$$
$$5 - =$$

13 □에 알맞은 수를 써넣으세요.

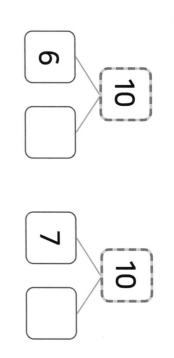

14 같은 위치의 수를 더해서 10이 되도록 빈 곳에 알맞은 수를 써넣으세요.

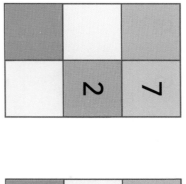

15 계산 결과에 맞게 길을 그려 보세요.

16 문제를 읽고 알맞은 식과 답을 써 보세요.

민수와 친구는 종이학 10개를 2명이 접었습니다. 민수가 접은 종이학이 2개일 때, 친구가 접은 종이학은 몇 개일까요?

식:

답: _____ 개

01 □에 알맞은 수를 써넣으세요.

02 두 수로 갈라 보세요.

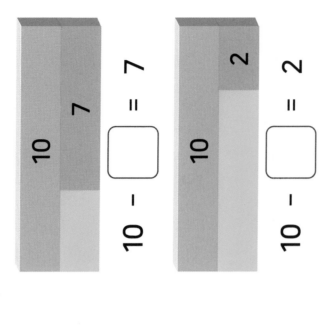

03 수를 모으고 갈랐습니다. □에 알맞은 수를 써넣으세요.

04 빈 곳에 알맞은 수를 써넣으세요.

$$3 + 1 = 10$$
$$1 = 10$$

05 □에 알맞은 수를 써넣으세요.

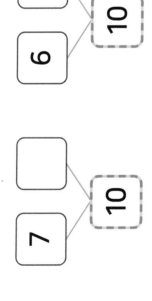

06 □에 알맞은 수를 써넣으세요.

$$10 - 7 = 7$$

$$10 - \ \ = 2$$

07 계산 결과에 맞게 길을 그려 보세요.

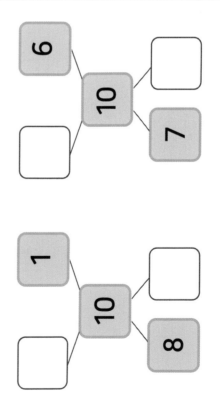

6   +3   +4   10

08 문제를 읽고 알맞은 식과 답을 써 보세요.

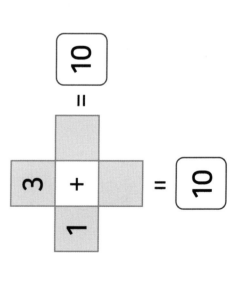

성희는 문구점에서 빨간색 색연필 10자루를 샀다가 파란색 색연필 4자루로 교환했습니다. 성희가 산 빨간색 색연필은 모두 몇 자루일까요?

식:

답: _____ 자루

1000math.com

홈페이지
· 천종현수학연구소 소개 및 학습 자료 공유
· 출판 교재, 연구소 굿즈 구입

 cafe.naver.com/maths1000

네이버카페
· 다양한 이벤트 및 '천쌤수학학습단' 진행
· 학습 상담 게시판 운영

 **https://www.instagram.com/
1000maths**

인스타그램
· 수학고민상담소 '천쌤에게 물어보셈' 릴스 보기
· 가장 빠르게 만나는 연구소 소식 및 이벤트

 **https://www.youtube.com/
@1000math4U**

유튜브
· 인스타 라이브방송 '천쌤에게 물어보셈' 다시 보기
· 고민 상담 사례 및 수학교육 기획 콘텐츠

천종현수학연구소는
유아 초등 수학 교재와 콘텐츠를 꾸준히 **개발**하고 있습니다. 네이버에 '**천종현수학연구소**'를 검색하시거나
인스타그램, 유튜브 등 다양한 채널을 통해서도 **연산**과 **사고력 수학**, 교과 **심화** 학습에 대한 **노하우**와 **정보**를
다양하게 제공합니다. 지금 바로 만나보세요.

SINCE **2014**

천종현수학연구소 출판 교재

01
유아 자신감 수학

썼다 지웠다 붙였다 뗐다
우리 아이의 첫 수학 교재

02
TOP 사고력 수학

실력도 탑! 재미도 탑!
사고력 수학의 으뜸

03
교과셈

사칙연산+도형, 측정, 경우의 수까지
반복 학습이 필요한 초등 연산 완성

04
따풀 수학

다양한 개념과 해결 방법을 배우는
배움이 있는 학습지

05
초등 사고력 수학의 원리 / 전략

진정한 수학 실력은 원리의 이해와 문제 해결 전략에서
재미있게 읽는 17년 초등 사고력 수학의 노하우!!

| 단계별 유아 원리 연산 |

KIDS

키즈 수학 전문가가 만든 연산 교재

원리셈

천종현 지음

정답

예비 초등 **7·8**세 | **4**권 | 10 가르기와 모으기

천종현수학연구소

10쪽

① 2, 8
② 3, 7
③ 4, 6
④ 5, 5
⑤ 6, 4
⑥ 7, 3
⑦ 8, 2
⑧ 9, 1

11쪽

① ●●●●● / ●●●●○ , 8
② ●●●● / ●●●○○ , 7
③ ●●● / ●●○ , 5
④ ●○ / ●○ , 3
⑤ ○ , 1

12쪽

① ●●●● / ●●●○ , 7
② ●●○ / ●○ , 5
③ ●○ / ● , 2
④ ●●●●● / ●●●●○ , 9
⑤ ●●●●● / ●●●○○ , 8
⑥ ●● / ●● , 4

13쪽

① 7   ② 9
③ 4   ④ 2   ⑤ 5
⑥ 6   ⑦ 3   ⑧ 1

14쪽

① 7   ② 3
③ 9   ④ 2   ⑤ 1
⑥ 4   ⑦ 8   ⑧ 6

15쪽

① 2, 8   ② 3, 7
③ 4, 6   ④ 5, 5   ⑤ 6, 4
⑥ 7, 3   ⑦ 8, 2   ⑧ 9, 1

16쪽

① 2 3 9   ② 9 4 1
③ 2 6 5   ④ 4 7 6   ⑤ 1 6 4

17쪽

① 7, 6, 5
② 9, 8, 4   ③ 8, 6, 2
④ 3, 6, 8   ⑤ 2, 1, 5
⑥ 6, 4, 9   ⑦ 2, 6, 4

18쪽

① 6   ② 7   ③ 9
④ 5   ⑤ 2   ⑥ 3
⑦ 4   ⑧ 1   ⑨ 8
⑩ 5   ⑪ 9   ⑫ 6

19쪽

① 4
② 5   ③ 2
④ 4   ⑤ 3
⑥ 6   ⑦ 8

20쪽

① 9 ② 3 ③ 2

④ 5 ⑤ 6 ⑥ 7

⑦ 8 ⑧ 1 ⑨ 4

⑩ 3 ⑪ 2 ⑫ 5

21쪽

① 5, 3, 8

② 4, 1, 5 ③ 6, 4, 10

④ 1, 3, 4 ⑤ 5, 5, 10

22쪽

23쪽

24쪽

26쪽

① 2, 8, 10

② 4, 6, 10 ③ 1, 9, 10

④ 5, 5, 10 ⑤ 6, 4, 10

27쪽

① 2, 8

② 4, 6 ③ 1, 9

④ 5, 5 ⑤ 6, 4

28쪽

① 7 ② 9

③ 4 ④ 2 ⑤ 1

⑥ 8 ⑦ 6 ⑧ 3

29쪽

① 2 ② 5

③ 3 ④ 1 ⑤ 4

⑥ 6 ⑦ 8 ⑧ 7

30쪽

① 8 ② 5 ③ 7
④ 1 ⑤ 6 ⑥ 2
⑦ 3 ⑧ 9 ⑨ 5
⑩ 4 ⑪ 7 ⑫ 6

31쪽

　　　① 4　② 6
③ 5　④ 9　⑤ 8
⑥ 2　⑦ 7　⑧ 5
⑨ 3　⑩ 1　⑪ 7

32쪽

　　　① 7
② 2　③ 4
④ 4　⑤ 3

33쪽

① 5　② 8
③ 2　④ 2
⑤ 4　⑥ 3

34쪽

35쪽

　　　① 5, 5
② 9, 1　③ 4, 6
④ 8, 2　⑤ 6, 4

36쪽

① 2, 8　② 8, 2
③ 3, 7　④ 5, 5
⑤ 4, 6　⑥ 2, 8

37쪽

　　　① 6, 7　② 9, 1
③ 8, 6　④ 7, 3　⑤ 4, 9
⑥ 2, 6　⑦ 5, 5　⑧ 8, 7

38쪽

　　　① 르
② 기　③ 모
④ 으　⑤ 기
⑥ 완　⑦ 전
⑧ 정　⑨ 복

39쪽

40쪽

42쪽

① ○○○○ ○○○
7

② ○○○ ○○○
6

③ ○○○○ ○○○○
8

④ ○○ ○○
4

⑤ ○○○○○ ○○○○
9

43쪽

① 8 ② 3 ③ 6
④ 5 ⑤ 1 ⑥ 7
⑦ 2 ⑧ 6 ⑨ 3
⑩ 9 ⑪ 5 ⑫ 4

44쪽

① 5 ② 8
③ 7 ④ 9 ⑤ 4
⑥ 2 ⑦ 5 ⑧ 3

45쪽

① 5 ② 7 ③ 9
④ 3 ⑤ 6 ⑥ 2
⑦ 1 ⑧ 8 ⑨ 5
⑩ 4 ⑪ 9 ⑫ 7

46쪽

① ○○○○ ○○○○ ○○
3, 7

② ○○○○○ ○○○○
1, 9

③ ○○○ ○○○
4, 6

④ ○○
8, 2

⑤ ○○○ ○○
5, 5

47쪽

① 8 ② 1 ③ 5
④ 6 ⑤ 3 ⑥ 2
⑦ 5 ⑧ 7 ⑨ 9
⑩ 8 ⑪ 4 ⑫ 5

48쪽

① 1 ② 7
③ 5 ④ 4 ⑤ 8
⑥ 3 ⑦ 9 ⑧ 6

49쪽

① 3 ② 2 ③ 9
④ 5 ⑤ 6 ⑥ 7
⑦ 8 ⑧ 9 ⑨ 5
⑩ 1 ⑪ 4 ⑫ 3

50쪽

① 2, 7 ② 9, 4
③ 5, 8 ④ 6, 3 ⑤ 1, 5
⑥ 2, 9 ⑦ 4, 7 ⑧ 9, 5

51쪽

① 6 ② 5 ③ 8
④ 1 ⑤ 3 ⑥ 9
⑦ 7 ⑧ 4 ⑨ 2
⑩ 5 ⑪ 1 ⑫ 7

54쪽

① 8

② 10　③ 3

④ 9　⑤ 7

⑥ 0　⑦ 5

55쪽

① 4

② 8

③ 0

④ 3

56쪽

① 9

② 8

③ 7

④ 6

⑤ 5

⑥ 4

⑦ 3

⑧ 2

⑨ 1

⑩ 0

57쪽

① 8　　② 6, 5
　 9　　　 2, 4

③ 8, 3　④ 7, 6
　10, 5　　 1, 0

58쪽

　　　① 9
　　　　 3

② 7　　③ 5
　 6　　　 0

④ 2　　⑤ 8
　 1　　　 10

59쪽

① 6, 6

② 8, 8

③ 2, 2

④ 5, 5

60쪽

① 4, 4

② 6, 6

③ 1, 1

④ 7, 7

61쪽

　　　① 7

② 2　③ 9

④ 6　⑤ 5

⑥ 3　⑦ 8

62쪽

63쪽

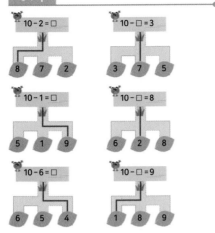

① 10-2=8, 8

① 10-7=3, 3

② 10-3=7, 7

① 10-2=8, 8

② 10-8=2, 2

③ 10-4=6, 6

① 10-9=1, 1

② 10-5=5, 5

③ 10-1=9, 9

5주차 - 합이 10이 되는 더하기

① 3, 7

② 0, 10

③ 5, 5

④ 10, 0

⑤ 4, 6

① , 8

② , 9

③ , 6

④ , 5

⑤ , 7

① 8   ② 9

③ 2   ④ 10

⑤ 6   ⑥ 5

⑦ 7   ⑧ 0

① 7   ② 4, 0
   5   7, 2

③ 6, 3   ④ 4, 7
   5, 8   9, 2

① 3, 10

② 2, 7   ③ 9, 6

④ 1, 5   ⑤ 0, 4

| 2 + 8 = 10 | 6 + 4 = 10 |
| 3 6 ⑧ 9 | 1 2 6 ④ |

| 4 + 6 = 10 | 9 + 1 = 10 |
| 2 ⑥ 7 8 | ① 5 7 9 |

| 3 + 7 = 10 | 5 + 5 = 10 |
| 2 3 6 ⑦ | 0 4 ⑤ 8 |

| 1 + 9 = 10 | 10 + 0 = 10 |
| 2 4 6 ⑨ | ⓪ 3 5 9 |

① 7

② 2 ③ 5

④ 8 ⑤ 1

① 7 ② 9

③ 4 ④ 6

⑤ 3 ⑥ 8

① 6

② 4 ③ 9

④ 8 ⑤ 1

⑥ 5 ⑦ 3

① 3, 7
   5, 5

② 1, 9 ③ 6, 4
   2, 8   7, 3

④ 5, 5 ⑤ 8, 2
   1, 9   7, 3

① 8, 2 ② 6, 4
   1, 9   5, 5

③ 1, 9 ④ 6, 4
   7, 3   8, 2

⑤ 3, 7 ⑥ 8, 2
   8, 2   5, 5

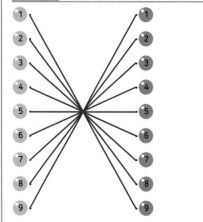

86쪽

① 6

② 4　③ 1

④ 5　⑤ 0

⑥ 7　⑦ 10

87쪽

① 4　② 8

③ 6　④ 3

⑤ 5　⑥ 9

⑦ 5　⑧ 7

⑨ 6　⑩ 2

⑪ 10　⑫ 0

88쪽

① 8
　9

② 4　③ 1
　3　　2

④ 5　⑤ 0
　6　　10

89쪽

① 7　② 1

③ 4　④ 5

⑤ 6　⑥ 10

⑦ 3　⑧ 8

⑨ 10　⑩ 7

⑪ 0　⑫ 5

90쪽

① ⭕⭕⭕⭕ / ⭕⭕⭕○ , 7

② ⭕⭕⭕⭕ / ⭕⭕⭕⭕ , 8

③ ⭕⭕⭕⭕⭕ / ⭕⭕⭕⭕○ , 9

④ ⭕⭕ / ⭕ , 3

⑤ ⭕⭕⭕ / ⭕⭕○ , 5

91쪽

① 0　② 6

③ 5　④ 8

⑤ 2　⑥ 7

⑦ 5　⑧ 1

⑨ 6　⑩ 3

⑪ 8　⑫ 4

92쪽

① 7　② 5

③ 1　④ 8

⑤ 0　⑥ 6

⑦ 3　⑧ 2

93쪽

① 8　② 5

③ 1　④ 7

⑤ 4　⑥ 3

⑦ 9　⑧ 6

⑨ 10　⑩ 5

⑪ 0　⑫ 2

94쪽

① 9
　7

② 4　③ 5
　8　　10

④ 6　⑤ 0
　3　　2

95쪽

① 10　② 3

③ 8　④ 6

⑤ 5　⑥ 9

⑦ 2　⑧ 7

⑨ 0　⑩ 1

⑪ 4　⑫ 10

총괄 테스트

4권 10개 묶기와 모으기

이름

점수

01 □에 알맞은 수를 써넣으세요.

7 3 10
6 4 10

02 두 수로 갈라 보세요.

10 → 2 6 / 8 4
10 → 9 1
10 → 7 5 / 3 5 / 3 7

03 수를 모으기 갔습니다. □에 알맞은 수를 써넣으세요.

9 10 / 1 10 8 2
4 10 7 3 6

04 빈 곳에 알맞은 수를 써넣으세요.

3
1 + 9 = 10
7
= 10

05 □에 알맞은 수를 써넣으세요.

7 10
1 9 10
5 5 10

06 □에 알맞은 수를 써넣으세요.

10 7
10 − 3 = 7

10 2
10 − 8 = 2

07 계산 결과에 맞게 길을 그려 보세요.

+3 10
6 +4

08 문제를 읽고 알맞은 식과 답을 써 보세요.

성하는 문구점에서 빨간색 색연필 10자루를 샀다가 4자루는 파란색 색연필로 교환했습니다. 성하가 산 빨간색 색연필은 모두 몇 자루일까요?

식: 10 − 4 = 6

답: 6 자루

09 □에 알맞은 수를 써넣으세요.

5 5 10
8 2 10

10 □에 알맞은 수를 써넣으세요.

5 1 4
10
2 2 6
10

11 수를 두 번 모았습니다. □에 알맞은 수를 써넣으세요.

6 1 3
4 10
2 2
8 6
10

12 □에 알맞은 수를 써넣으세요.

10 − 6 = 4
10 − 5 = 5

13 □에 알맞은 수를 써넣으세요.

10 10
6 4 7 3

14 같은 위치의 수를 더해서 10이 되도록 빈 곳에 알맞은 수를 써넣으세요.

8 7 2 3
1 2 9 8
4 5 6 5

15 계산 결과에 맞게 길을 그려 보세요.

10 −8
7 3

16 문제를 읽고 알맞은 식과 답을 써보세요.

민수와 짝꿍는 종이학 10개를 접었습니다. 민수가 접은 종이학이 2개일 때 짝꿍가 접은 종이학은 몇 개일까요?

식: 10 − 2 = 8

답: 8 개

○ **마술 같은 논리 수학** 매직
전 영역에 걸쳐 균형 있는 논리력, 문제해결력 기르기

○ **생각하고 발견하는 수학** 로지카
최고 수준 학습을 위한 사고력, 문제해결력 기르기

○ **문제해결력 향상을 위한 실전서**
문제해결사 PULL UP
학년별 실전 고난도 문제해결을 위한 브릿지 학습

천종현수학연구소의 학원 프로그램, 로지카 아카데미

"수학으로 세상을 다르게 보는 아이로!"
"생각하고 발견하는 수학, **로지카 아카데미**에서 시작하세요."

20년 차 수학교육전문가 천종현 소장과 함께 생각하는 힘을 기를 수 있는 곳, 로지카 아카데미입니다. 생각하고 발견하는 수학을 통해 아이들은 새로운 세상을 만나게 될 것입니다. 오늘부터 아이의 수학 여정을 로지카 아카데미와 함께하세요.

▶ ▷ ▷ ▷ **로지카 아카데미** www.logicaedu.kr

천종현수학연구소의 교재 흐름도

	4세	5세	6세	7세	초 1
출판 교재					
유자수 · 탑사고력	만 3세	만 4세	만 5세	K단계	P단계
원리셈		5, 6세	6, 7세	7, 8세	초등 1
교과셈					초등 1
따풀				7세	초등 1
학원 교재					
매직 · 로지카			K단계	P단계	A단계
풀업				P단계	A단계